中國碑帖名品 [一〇〇]

吴昌碩書法名品

上海書畫出版社

前言

中華文明綿延五千餘年，文字實具第一功。從倉頡造字而雨粟鬼泣的傳説起，歷經華夏子民智慧聚集、薪火相傳，終使漢字生生不息、蔚爲壯觀。伴隨著漢字發展而成長的中國書法，基於漢字象形表意的特性，在一代又一代書寫者的努力之下，最終超越其實用意義，成爲一門世界上其他民族文字無法企及的純藝術，并成爲漢文化的重要元素之一。在中國知識階層看來，書法是中國人『澄懷味象』、寓哲理於詩性的藝術最高表現方式，她净化、提升了人的精神品格，歷來被視爲『道』『器』合一。而事實上，中國書法確實包羅萬象，從孔孟釋道到各家學説，從宇宙自然到社會生活，中華文化的精粹，在其間都得到了種種反映，書法無愧爲中華文化的載體。書法又推動了漢字的發展，篆、隸、草、行、真五體的嬗變和成熟，源於無數書家承前啓後、對漢字美的不懈追求，多樣的書家風格，則愈加顯示出漢字的無窮活力。那些最優秀的『知行合一』的書法家們是中華智慧的實踐者，他們彙成的這條書法之河印證了中華文化的發展。

因此，學習和探求書法藝術，實際上是瞭解中華文化最有效的一個途徑。歷史證明，漢字及其書法衝破了民族文化的隔閡和時空的限制，在世界文明的進程中發生了重要作用。我們堅信，在今後的文明進程中，這一獨特的藝術形式，仍將發揮出巨大的力量。然而，在當代這個社會經濟高速發展、不同文化劇烈碰撞的時期，書法也遭遇前所未有的挑戰，這其間自有種種因素，而漢字書寫的退化，或許是書法之道出現踟躕不前窘狀的重要原因，因此，有識之士深感傳統文化有『迷失』、『式微』之虞。書法藝術的健康發展，有賴對中國文化、藝術真諦更深刻的體認，彙聚更多的力量做更多務實的工作，這是當今從事書法工作的專業人士責無旁貸的重任。

有鑒於此，上海書畫出版社以保存、還原最優秀的書法藝術作品爲目的，承繼五十年出版傳統，出版了這套《中國碑帖名品》叢帖。該叢帖在總結本社不同時段字帖出版的資源和經驗基礎上，更加系統地觀照整個書法史的藝術進程，彙聚歷代尤其是今人對不同書體不同書家作品（包括新出土書迹）的深入研究，以書體遞變爲縱軸，以書家風格爲横綫，遴選了書法史上最優秀的書法作品彙編成一百册，再現了中國書法史的輝煌。

爲了更方便讀者學習與品鑒，本套叢帖在文字疏解、藝術賞評諸方面做了全新的嘗試，使文字記載、釋義的屬性與書法藝術造型、審美的作用相輔相成，進一步拓展字帖的功能。同時，我們精選底本，并充分利用現代高度發展的印刷技術，精心校核，原色印刷，幾同真迹，這必將有益於臨習者更準確地體會與欣賞，以獲得學習的門徑。披覽全帙，思接千載，我們希望通過精心編撰、系統規模的出版工作，能爲當今書法藝術的弘揚和發展，起到綿薄的推進作用，以無愧祖宗留給我們的偉大遺産。

上海書畫出版社

簡介

吴昌碩（一八四四—一九二七），近代書家。初名俊、俊卿，字昌碩、倉石，晚以字行，别號缶廬、缶翁、苦鐵、破荷、大聾、老缶等。浙江安吉人。清末曾官江蘇安東知縣，在任僅一月，後寓上海。爲『海上畫派』的傑出代表。能詩文，長書法，攻《石鼓文》，樸茂雄健，自成一格；精篆刻，能融皖、浙諸家與秦漢印精華，蔚爲一代宗師。著有《缶廬集》等。

《臨石鼓文册》，現藏朵雲軒。該帖爲吴昌碩一生僅寫全《石鼓文》兩本中之一本，附有朱筆釋文，實爲難得。該帖原爲錢經銘所藏，前有其題簽，後有其題跋叙得此帖之經過。另有譚澤闓題首、題跋，吴曾善題跋，皆於此帖推崇備至。此帖爲吴昌碩六十四歲臨寫，因要做楷式，故寫得嚴謹認真，其字圓勁古樸，因静而文氣生，異於吴氏平日應酬之作。如吴嘗言『《獵碣》文字用筆宜恣肆而沉穆，宜圓勁而嚴峻』。此帖足以當之。

吴昌碩以《石鼓文》爲根基，隸、草、行、真皆自成面目，如本帖中所選其對聯、扇面及手札書法，皆爲上乘之作，開一代風氣。

臨石鼓文册

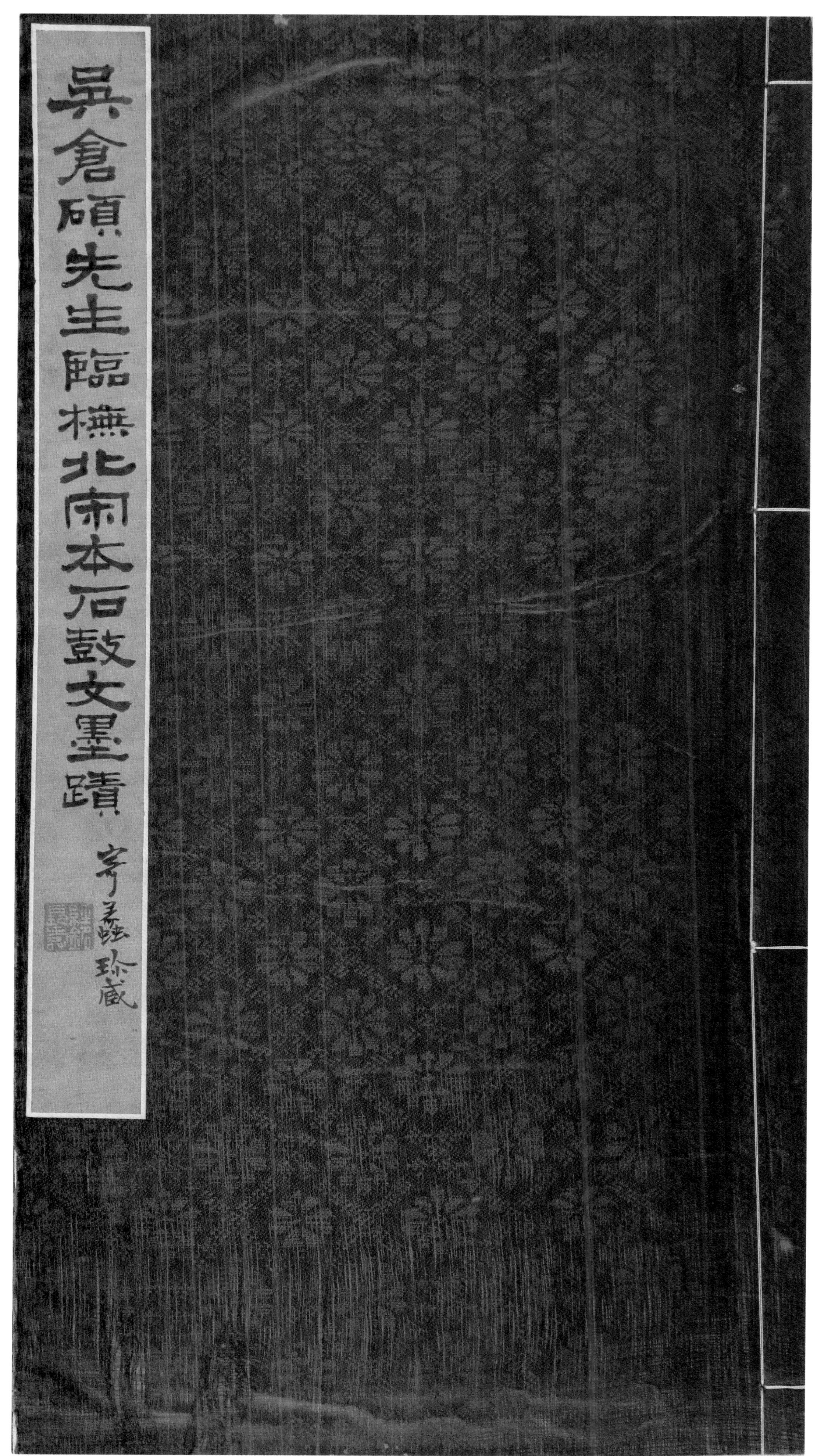
吳倉碩先生臨橅北宋本石鼓文墨蹟

金廬臨石鼓文真蹟

寄叒先生寶藏命題册首

譚澤闓

避：同『吾』。工：通『攻』，堅固。吾車既攻，吾馬既同：意爲謂車輛堅固，馬匹整齊。《詩經・小雅・車攻》：『我車既攻，我馬既同。』毛傳：『攻，堅；同，齊也。』

駐：通『阜』，肥壯。《詩經・小雅・車攻》：『田車既好，四牡孔阜。』

員：通『云』，語助詞。

邋：通『獵』。

斿：同『遊』。

麀（音幽）：母鹿。

避車既工，避馬/既同。避車既好，/避馬既駐。君子/員邋，員邋員斿。麀（鹿）/

速速，君子之求。／（牸牸）角弓，（弓）茲以寺。／（遊）毆其（特），其來趩趩。／（⿺走憲⿺走憲）𤼈𤼈，即避即時。／

速速：鹿的足迹。《爾雅·釋獸》：『鹿，其迹速。』《釋文》作『𪋟』，云『本又作速』，《説文解字》：『𪋟，鹿迹也。從鹿，速聲。』

牸：同『騂』。騂騂（音星）：調弓的聲音。《詩經·小雅·角弓》：『騂騂角弓，翩其反矣。』毛傳：『騂騂，調利也。』朱熹集傳：『騂騂，弓調和貌。』

寺：通『待』。

毆：同『驅』。

特：雄獸。亦可指三歲的小獸。

趩趩（音赤）：行走聲。《説文解字》：『趩，行聲也。』

⿺走憲（音獻）：《説文解字》：『⿺走憲，走意。從走憲聲。許建切。』

𤼈（音臺）：同『炱』，本指煙氣凝積而成的黑灰。此處引申爲動物行走揚起的塵土。

麀鹿趀趀，其來亦（次）。∕避毆其∕（樸，其來遭遭，射）其豣蜀。∕

趀趀（音粢）：倉猝。

次：按順序。

遭遭：行走貌。

豣（音肩）：通『豣』。《說文解字》：『豣，三歲豕，肩相及者。從豕幵聲。《詩》曰：「並驅從兩豣兮。」古賢切。』

蜀：通『獨』。此指離群之獸。

避車既工避馬既同避車既好避馬既
騜○君子員獵員獵員斿麀鹿速速君子之求○騂騂
角弓弓茲吕寺避毆其時麀麀鹿鹿其來趩趩
○𤏳𤏳炱炱即徽即時麀鹿趚趚其來大
次○避毆其樸其來趩趩射其豬蜀

車工五章四章章四句一章三句

汧（音千）：汧水，今千河的古稱，流經陝西省入渭河。

殹：語氣詞，相當於『也』、『兮』。

沔沔：水滿蕩漾貌。

丞：通『承』。

皮：通『彼』。

淖淵：水潭和水塘。

鰋（音奄）：鯰魚。

澫：一說讀『漫』，一說即『濿』字。濿：同『砅』，踏著石頭過水。

又：通『有』。

小魚：按此兩字爲合文。

[走敫][走敫]：通『跚跚』、『汕汕』，魚游水貌。

汧殹沔（沔），丞皮淖淵。〳鰋鯉處之，君子漁〳之。澫又小魚，其斿[走敫][走敫]。〳

帛魚鱳鱳，其籃氏鮮。／黃帛其鯿，又鰟又／鮊。其胡孔庶。𩽇之／夐夐，汗汻趠趠。其魚隹可？／

帛：通『白』。

鱳鱳（音力）：同『皪皪』。《廣韻》：『的皪，白狀。』

籃：古『盜』字，通『罩』，捕魚的竹籠。《爾雅·釋器》『篧謂之罩』郭注：『魚籠也。』《詩經·小雅·南有嘉魚》：『南有嘉魚，烝然罩罩。』毛傳：『罩罩，篧也。』鄭玄箋：『言南方水中有嘉魚，人將久如而俱罩之。』《釋文》：『罩，《字林》竹卓反，云捕魚器也。篧，助角反，郭云：捕魚籠也。』

汻：通『瀚』。趠：通『溥』。瀚瀚溥溥：形容圍欄中魚多的樣子。

隹：通『唯』。可：通『何』。

氏鮮：捕魚。

鯿：通『鯾』。古又稱魴魚，今稱鳊魚。《說文解字》：『鯾，魚名。從魚便聲。鯿，鯾又從扁。房連切。』

鰟：鰟鮍魚，形似鯽魚但極小，只有幾釐米大小。生活在淡水中，產卵在蚌殼裏。鮊：白魚。

胡：此字難解，解說衆多。或曰通『類』。其類孔庶：形容魚的種類很多。

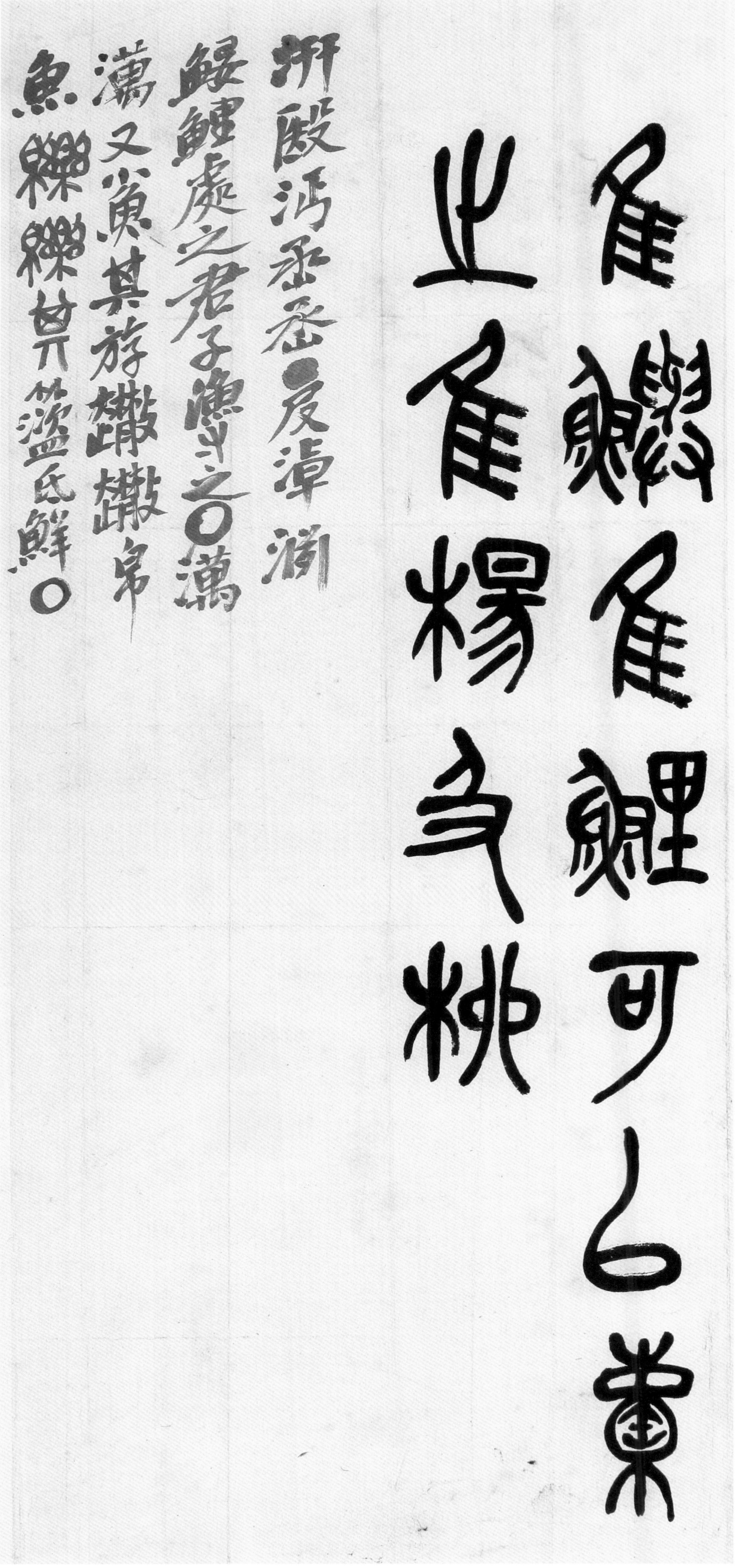

隹鱮隹鯉。可以橐／之？隹楊及柳。／

鱮：古指鰱魚。

橐：通「苞」。《説文解字》：「橐，橐張大皃。」段玉裁注：「橐讀如苞苴之苞。」

黃帛其鯾又鱄又鮊其
胡孔庶臠之𩁹𩁹汗
汗博博○其魚隹可
隹鱮隹鯉可㠯橐之
隹楊及柳

汧四章三章章四句一章五句

田：通『畋』，打獵。田車：打獵用的車子。《詩經・小雅・車攻》：『田車既好，四牡孔阜。』朱熹集傳：『田車，田獵之車。』

孔：甚，大。安：安穩。

鋚（音條）勒：轡首銅飾。《説文解字》：『鋚，鐵也。一曰轡首銅。從金攸聲。以周切。』

馬（音環）：《説文解字》：『馬一歲也。從馬；一，絆其足。讀若弦。一曰若環。户關切。』

四：通『駟』，古代同駕一輛車的四匹馬。駟介：由四匹披甲的馬所駕的車。《詩經・鄭風・清人》：『清人在彭，駟介旁旁。』

簡：大。《淮南子・説山》：『周之簡圭。』

驂：駕車時在兩邊的馬。《楚辭・九歌・國殤》：『左驂殪兮右刃傷。』

旛旛：馬飛馳貌。

騝騝：形容馬匹健壯。

隮：通『躋』，登高。

田車孔安，鋚勒馬（馬），／（四介）既簡。左驂旛旛，／右驂騝騝，遊以隮于／

邍。避（戎）止陝，宮車/其寫。秀弓寺射，麋/豕孔庶，麀鹿雉兔。/（其趱）又旃，其□奔/

邍：同『原』，平原。《說文解字》：『邍，高平之野，人所登。從辵备录。』注：『今原字。』

戎：兵車。《周禮·春官·車僕》：『掌戎路之萃』，鄭玄注云：『此五者皆兵車，所設五戎也。戎路，王在軍所乘。』

陝：一說讀作『顛』，指山原之高處。

宮車：帝王坐的車。

寫：通『瀉』，又通『卸』。《說文解字》：『寫，置物也。從宀舄聲。悉也切。』此處表示卸下馬具停下車。

秀：通『抽』。寺：通『待』。

麋：麋鹿。豕：野猪。孔庶：形容非常多。

麀鹿：母鹿。雉：野雞。

趱：讀爲『擄』或『虜』，訓爲『獲』。

又旃：即『旃旃』，『又』字在此處爲表示重文句式的語助詞。旃旃：讀作『陳陳』，指所獲獵物相互枕藉陳列之貌。

（亦）。□出各亞，╱□□昊□，執而勿射。╱（多）庶趯趯，君子逌樂。╱

趯：動物跳躍活動的樣子。《說文解字》：『趯，動也。從走樂聲。』

逌：同『卣』，通『攸』，所。

田車孔安鋚勒馯馯六轡既簡左驂旛旛

右驂騝騝𢑋㠯隮于邍○我戎止陝宮車

其寫秀弓寺射麋豕孔庶麀鹿雉兔○其邍

又旃旨其戎[illegible][illegible]大車出各亞獸白㚖[illegible][illegible]

而勿射多庶[illegible][illegible]君子逌樂

田車三章一章十六句一章五句一章七句

□□鑾車，𠦪欶（真）□。／□弓孔碩，彤矢□□。／四馬其寫，六轡（驁箬）。／

鑾：鈴鐺。古代帝王的車駕上有鑾鈴，故稱帝王車駕爲『鑾車』。

𠦪欶：一説讀作『逑次』，指圍獵的車輛依次排列。

彤矢：朱漆箭。本指古代天子賜給有功諸侯大臣的箭矢。《尚書·文侯之命》：『用賚爾秬鬯一卣，彤弓一，彤矢百。』孔傳：『諸侯有大功，賜弓矢，然後專征伐。彤弓以講德習射，藏示子孫。』

驁：通『沃』。箬：通『若』。沃若：馬服順的樣子。《詩經·小雅·皇皇者華》：『我馬維駱，六轡沃若。載馳載驅，周爰諮度。』《文選》卷四十謝玄暉《拜中軍記室辭隋王箋》：『驁蹇之乘，希沃若而中疲』，李軌注：『《詩》曰：我馬維駱，六轡沃若。沃若，調柔也。』

（徒）馭孔庶，廓／□宣搏。眚車䡴行，／□徒如章，邍溼陰（陽）。／（趍趍弆）馬，射之𦈡𦈡。／

廓：一說通『鄜（音夫）』，地名，今陝西省延安地區，今作富縣。

䡴：一說通『載』。

眚（音省）：本義指眼睛生翳。

趍趍：馬飛馳貌。

（趍）□（如）虎，（獸）鹿如□。□□（多）賢，迧禽□□，避（隻）允異。□□□（癸），╱

獸：通『狩』。

迧：讀作『陳』。

隻：讀作『獲』。

師㞋鑾車𠦪軟眞如秀弓孔碩彤矢笑笑○四馬

其寫六轡沃若𩣡騝孔庶麀騎宣博○昔車䰠飛

如徒如章邋邋溼陰陽趍趍六馬敢止姘姘○又𩤢如雲

獸鹿如豸台肅多敀緝禽奉雉縶兔允異

鑾車四章二章章四句二章章五句

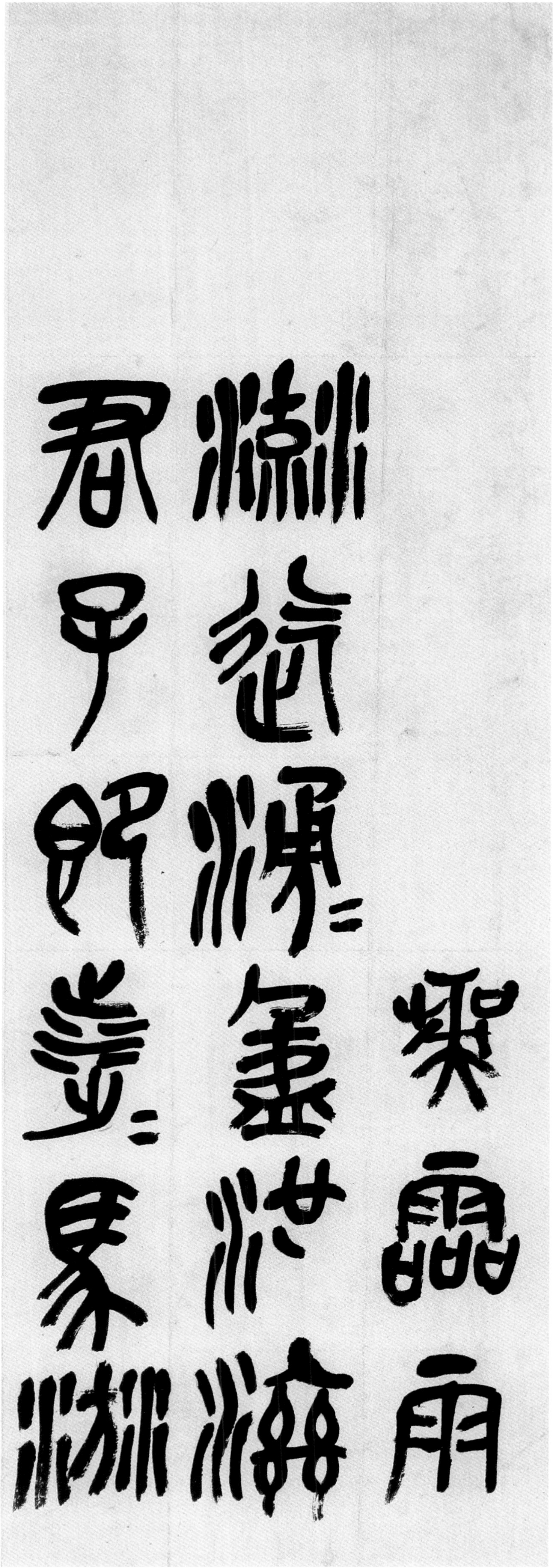

靁雨：同『零雨』，指下雨。《詩經·豳風·東山》『零雨其濛』，《説文解字》引作『靁雨其濛』。

迄：同『迄』。

湈：一説讀作『海』，指大水大湖。

□靁雨□□。/流汔滂滂，盈（湈）濟（濟）。/君子即涉，涉馬□（流）。/

汧殹洎洎，蔆蔆□□，舫舟〆囱逮。□□自鄜，徒驂（湯湯）。〆（隹舟）以衍，或〆（陰）或極陽。（極）深以□，〆

洎洎（音既）：水流匯聚而豐沛。

蔆蔆：同『萋萋』，雲流動貌。蔆：從『萋』，又從『淒』，《說文解字》：『淒，雲雨起也。從水、妻聲。《詩》曰：「有渰淒淒。」』今本《毛詩·小雅·大田》作『萋萋』。毛《傳》：『萋萋，雲行貌。』

舫舟：方舟。《爾雅·釋言》：『舫，舟也』。又《爾雅·釋水》：『天子造舟，諸侯維舟，大夫方舟，士特舟，庶人乘泭。』『方舟』即『舫舟』。

囱：一說讀作『西』。

衍：同『行』。

敔（音雨）：禁止。《説文解字》：『敔，禁也。……從攴吾聲。魚舉切。』段玉裁注：『與圉禦音同。《釋言》禦圉禁也。《説文》禦訓祀，圉訓囹圉，所以拘罪人。則敔爲禁禦本字，禦行而敔廢矣。古假借作禦，作圉。』

□于（水）一方。／（勿）□□止，其于水奔／其敔，□□其事。□□□／

𠂤𠂤西京河水溋溋䜌來自東靁雨
奔淋淋[illegible]湧盈盈〇渫淫君子既步䜌馬
淋汧汧殿泊淒盈士〇駱言西綠舫舟
自麗徒騪鍏鍏隹舟已以作或陰或陽
极深吕户出乎水一方〇丞徒徨止其奔
䜌吕耳其逌叜
来東四章一章五句一章四句一章七句
一章三句

猷，乍遵乍□。／□□□□，道遑我嗣。／□□□除，帥皮阪□。□□□／

莽，爲卅里。/□□□微，椷椷亶罟。/□□□栗，柞棫其□。/□□櫻梠，䲨䲨鳴□。□□□□，/

莽：同『草』。

卅：此處讀作『三十』。

罟：漁網。

櫻：同『椶』。

亞箬其華。/□□□□，爲所斿璧。/□□盩道，二日尌□，/□□五日。/

盩（音周）：地名，盩厔：在陝西，今作周至。

尌：同『樹』。

宣獻乍邍乍周衛徒我劉攸除帥是敢田○莫為
丗里希微々逌罟桼顛枇棫其狀櫐榙鳥々鳴條盘磐
○其孳可為所斿駿水盤衛二日封茲吾

宣獻三章二章章四句一章章六句

而

弓矢孔庶

左

□□□□，□□□□。□□□□，□□而（師），/弓矢孔庶，/□□□□，□□□（以）。左（驂）□□，/

滔滔是戠。／□□□不，具舊／□復，□具／

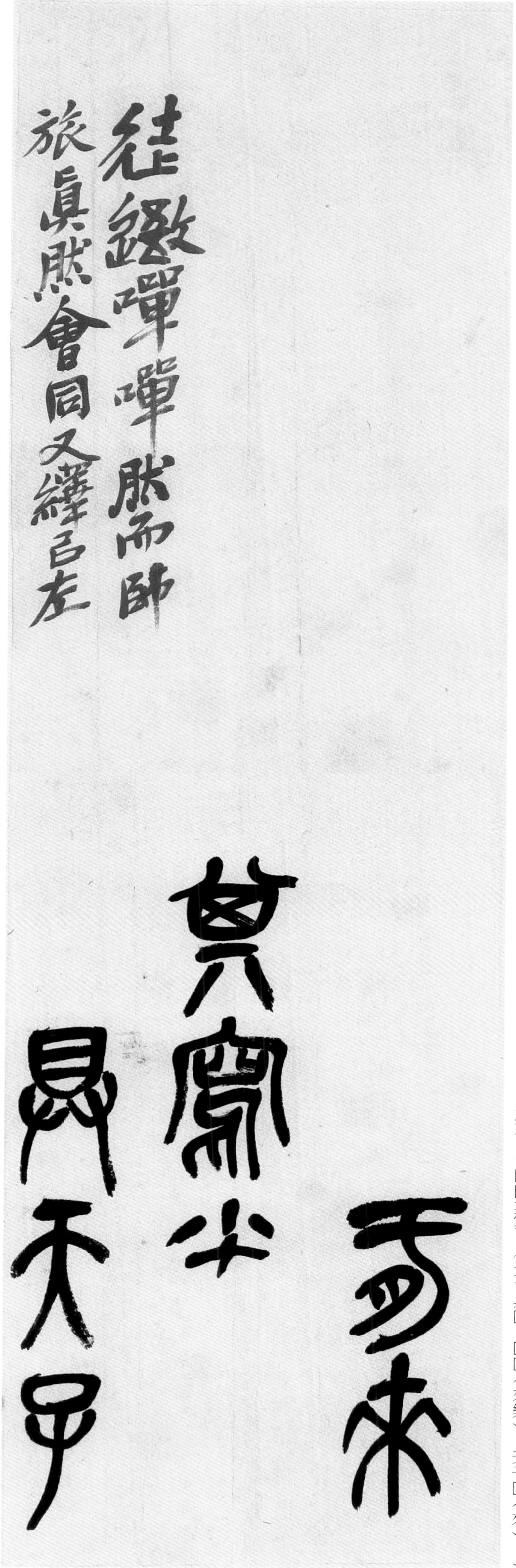

肝來。／□□其寫，小大／具□。□□（來樂），天子□（來）。／

嗣王始
古我來

〇我𢓊亏矢亏矢孔庶
滔滔是戴弜夫寫矢其
蒦莪嵳亏〇其徒䏻來
或羣或孟逸寍左右
𦰩樂天子〇來嗣王始
𤛓𤛓優優古我來攸止
徒鐊四章二章十章
四句一章五句一章三句

嗣王始／□，古我來／□。／

□□□□，□（天）□（虹），□皮╱□走。╱驕驕馬╱（薦），╱

薦：同『薦』。

⿱艹⿱隋廾⿱艹⿱隋廾卉（卉）。微微／雉□，□（心）／其／

一。□□□□□□□□□□□□□□之。/

夏火止驂〻

馬蘼蘼蘼

贅茻茻茻嫩〻

雉其一也

驂〻驂〻成句者〻

遊水既瀞，／（遊）道既平。／（遊）□既止，嘉尌則／里，天子永寍。／

瀞：同『清』。

寍：同『寧』。

（日）隹丙申，旭／（昱昱薪薪），遴其（周）道，／□馬既／（迪）。（敖）□康（康），駕奔／（盦）□。／

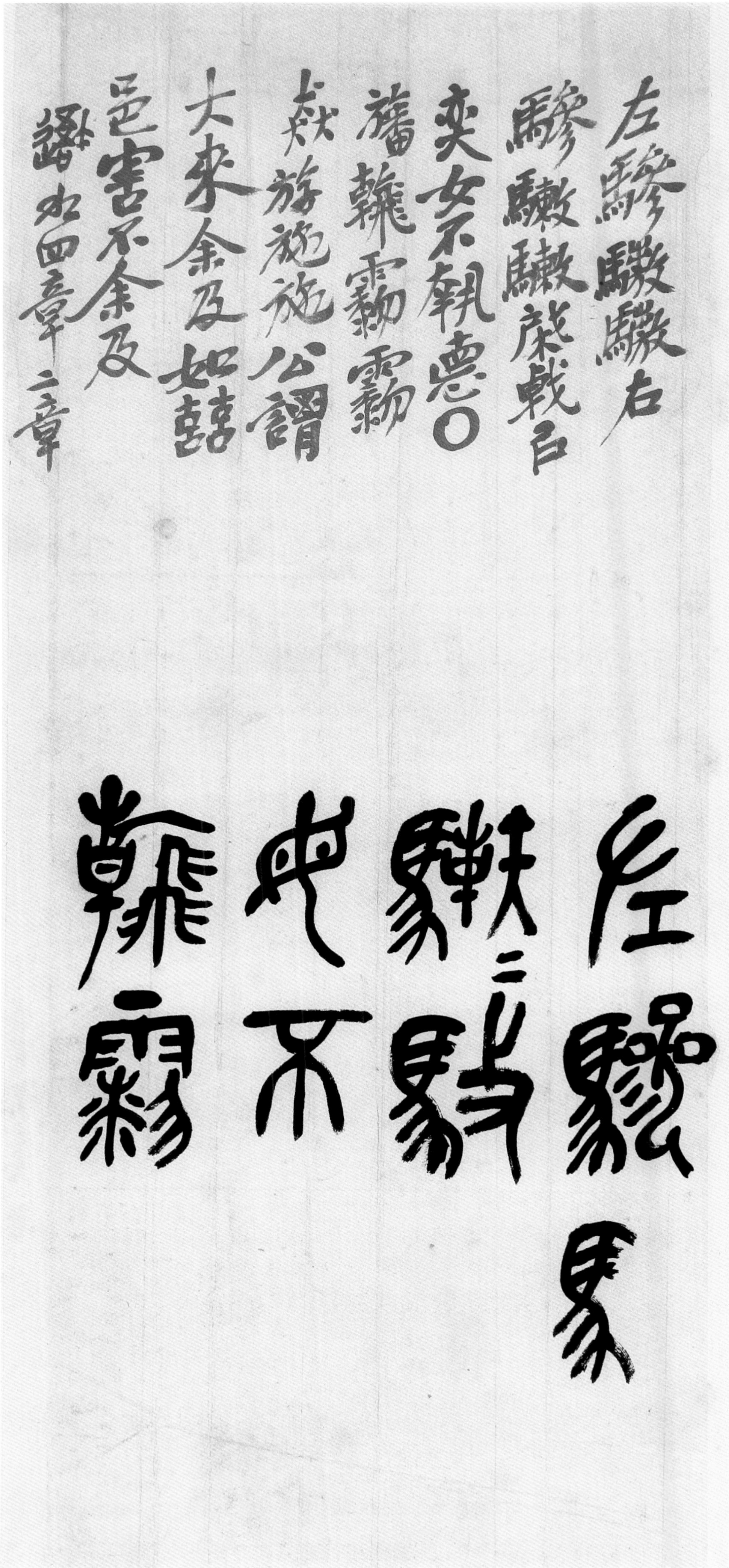

⿰倝飛：同『翰』。

左驂／（馬）□□，（右驂）騝騝駭。／□□□□，母不／□□，（四）⿰倝飛⿱雨豖（⿱雨豖），□□□□。／

章四句一章七句
一章五句

公謂大／口：金及如／口口，害不余及（吝）？／

金：通『今』。

害：讀作『曷』。

吝：同『友』。按，此處吳昌碩誤寫作『及』。

吳人𢡟（亟），（朝）夕敬〈□〉。𩛥西𩛥北，〈

吳人：同『虞人』，古代掌管山澤的官。

𢡟：同『憐』，一說通『慎』，謹慎。

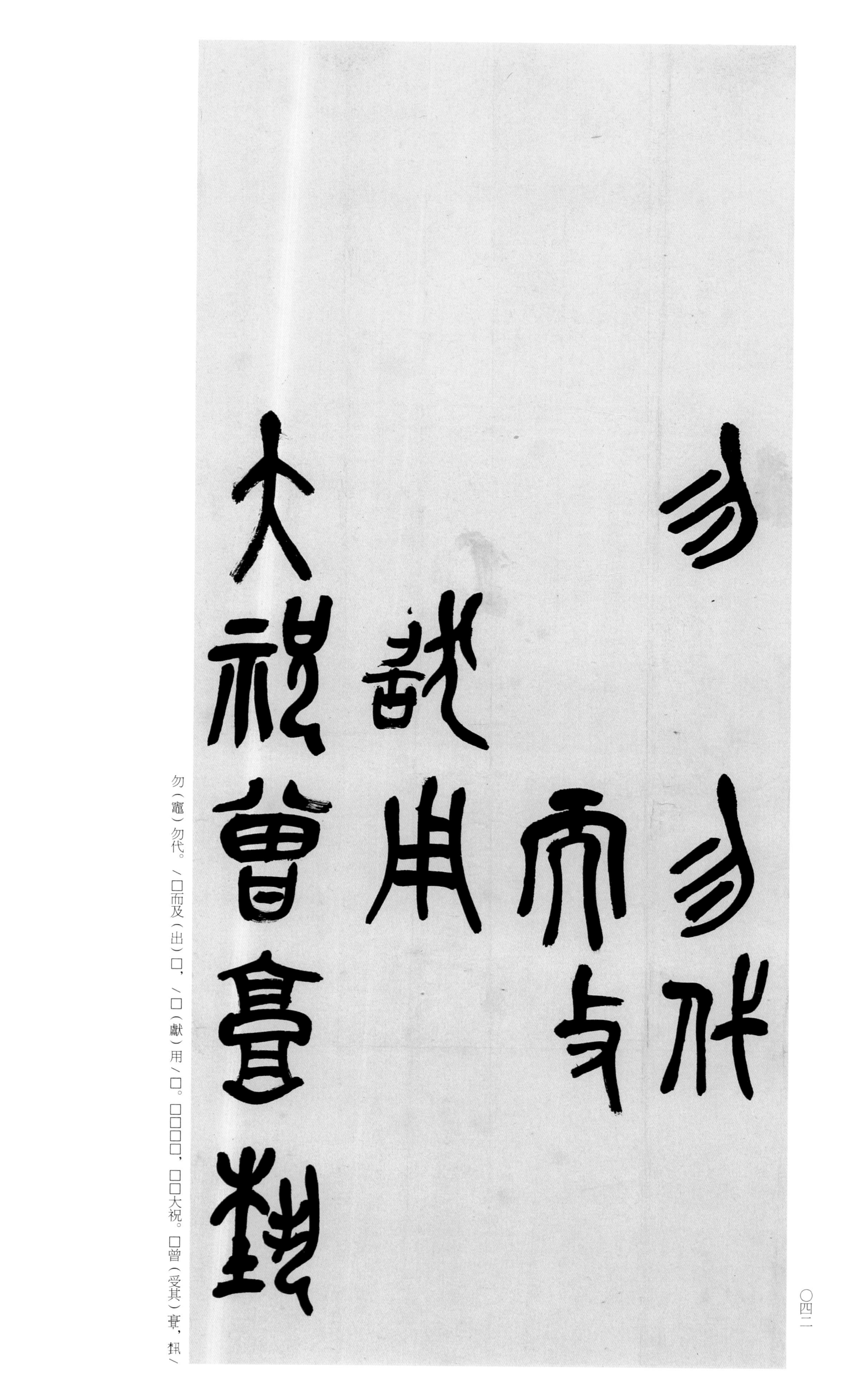

勿（竈）勿代。／□而及（出）□，／□（獻）用／□。□□□□，□□大祝。□曾（受其）章，㺯／

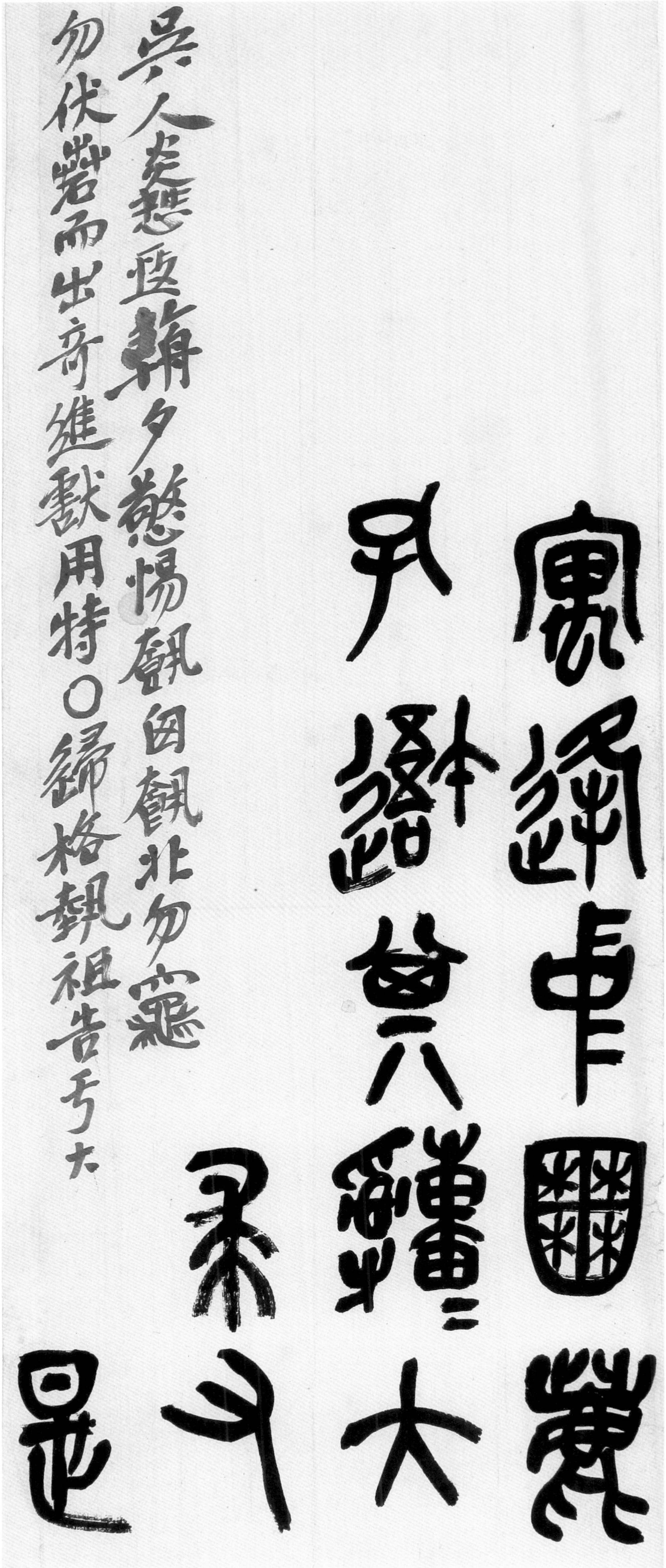

□□寓逢。中囿（孔）□，□鹿／□□。孔逰其□□，□□鱄鱅，大／□□□，□□□□。求又／□□□□□□□是。／

祝禘嘗烝亶致其方執寓鋒車圝孔康磨

嵩ㄴ邊[竹]瀣既垣疆[理]繣繣○大田不㹀君子可求又

謀又始周○爰止于是肅肅烝祀貴及我孫子

奂人四章一章六句一章八句二章章三句

予學篆好臨石鼓數十載從事於此一日有一日之境界唯其中古茂雄秀氣息
未能窺其一二戊申秋杪獲佳楮畧臨阮氏翻刻北宋本全文其第八鼓尚
存十二字之多而今拓則無之昔傳明拓八鼓僅存一段字好事者寶之
而不知骨董行中作僞賺錢耳予曾詠二絕句云旅櫬啼饑金石意無聊中爲
舊事堪悲昌黎潛淚揮難盡此鼓之遺成沒字碑劫火已難乾天一閣宋存阮刻
漿拓羅漫誇明拓好簡字雲梁張皇雁鼎多 安吉吳俊卿

吾人學篆以周宣石鼓文爲正宗惟是閱世既久拓本漫漶殘缺不免浸失古意余滋感焉盱衡近世研精石鼓篆文無過吳君倉碩迺請臨北宋天一閣本存字足成十鼓并以釋文並屬名手刻石自戊申至庚戌三年始成鐫蝕初拓不爽豪釐學篆者得此進求筆情意理當與阮刻天一閣本同珍矣是册墨本爲戊申年所書年六十四其歿年丁卯年八十四嘗語余曰獵碣文字用筆宜恣肆而沈穆宜圓勁而嚴峻生平臨摹石鼓雖多寫全文者除余一本外一亭王君亦得一本蓋非遇真賞識不輕下筆也故特表而識之

己卯仲春裝池既竣寄蠡錢經銘記

缶廬吳先生一生致力獵碣篆勤工力深至筆勢豪肆自來學篆者無專精獨擅如先生者也此帖全鼓又附釋文蓋不數數覯寄蠡先生出眡屬題謹志眼福

己卯四月　茶陵譚澤闓記

阮文達謂天下樂石以岐陽石鼓文為冣古石鼓脫本以浙東天一閣藏松雪齋北宋本為尤著於是阮刻十碣出張燕昌氏油素書丹為傳世獵碣之冣精而完密缶廬老人畢生致力於斯手寫全文者僅此兩本吉光片羽海內瑰寶老人六十後書静穆嚴整絶無劍拔弩張之氣自屬難能可貴錢丈寄蠡浸沈碑版與老人沆瀣一氣書名亦相埒此本所歸寧特真賞識而已哉前年馬叙倫氏為秦碣疏記釋文間有遺漏儻得此本對照引證更收闡發精微之功是有待于攷古者書此以志讚欵

己卯重九元和吳曾善識於小鈍齋

對聯 扇面 手札書法選

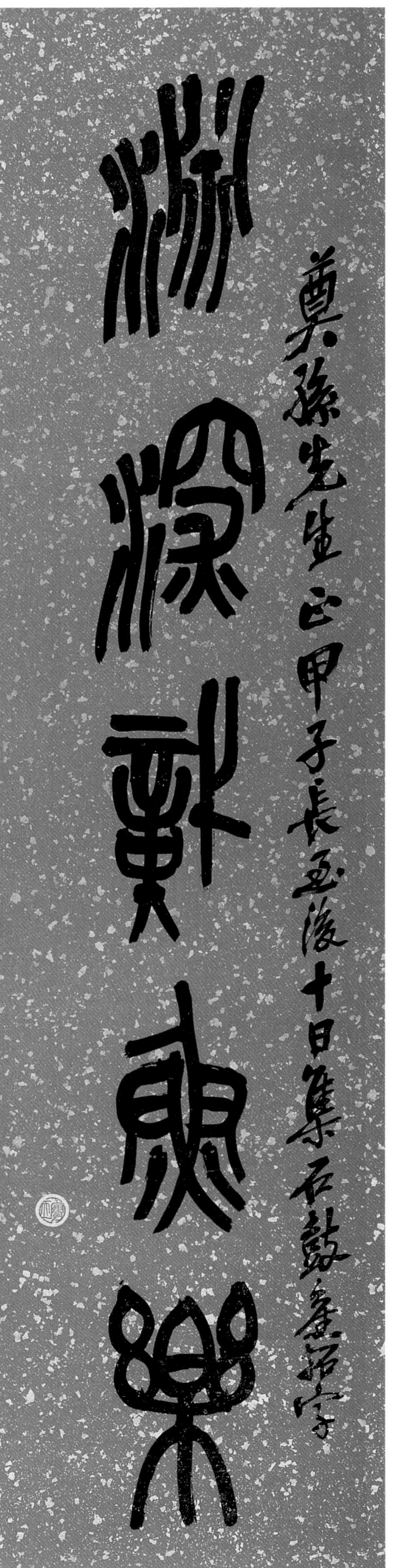

【篆書淵深樹古五言聯】淵深識魚樂，樹古多禽鳴。

【篆書好賢求道四言聯】好賢孔樂，求道自安。

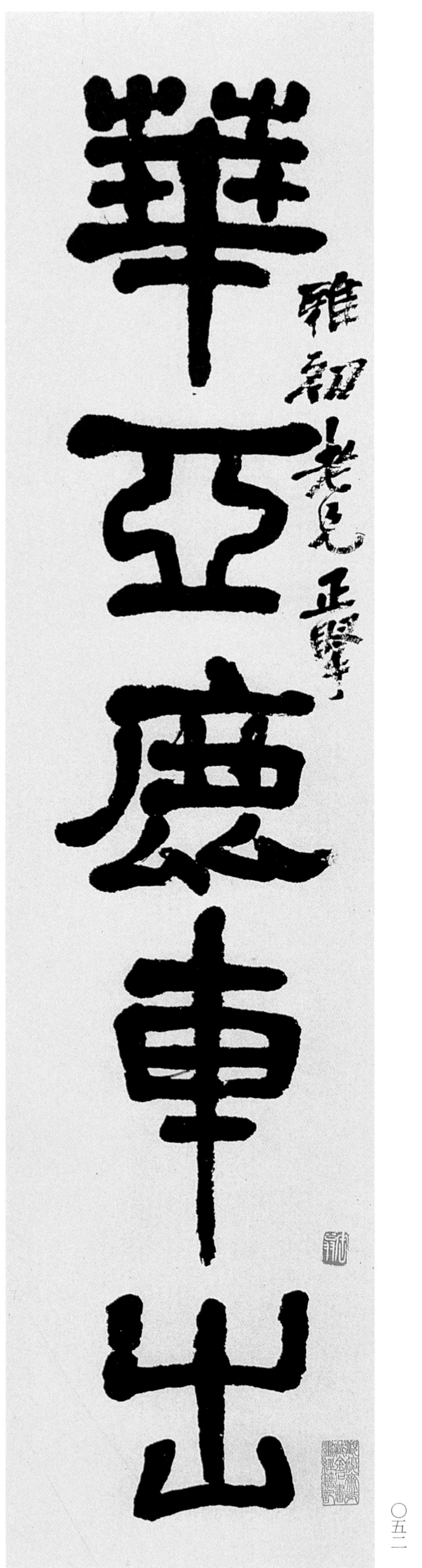

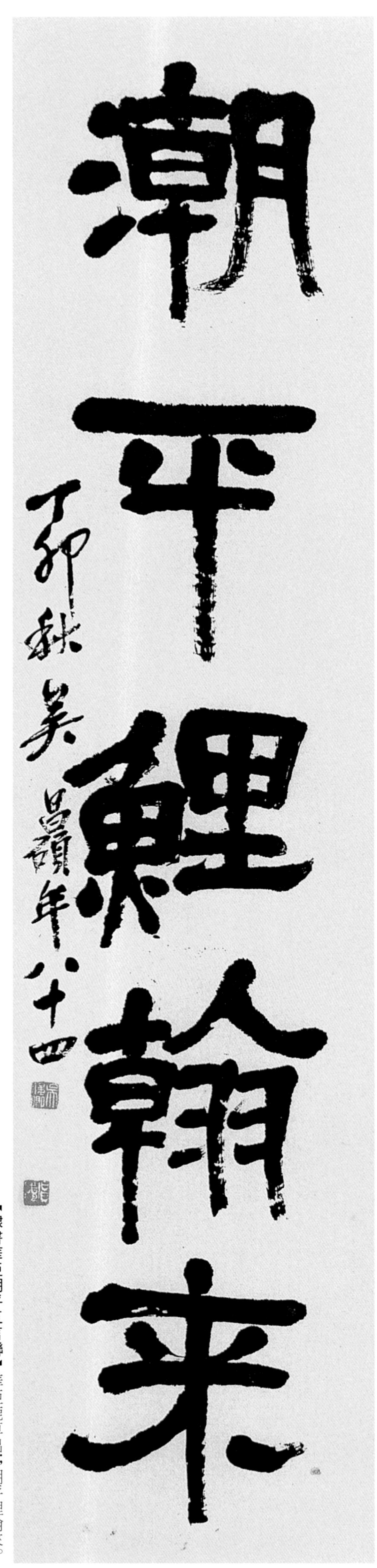

【隸書華亞潮平五言聯】華亞鹿車出；潮平鯉翰來。

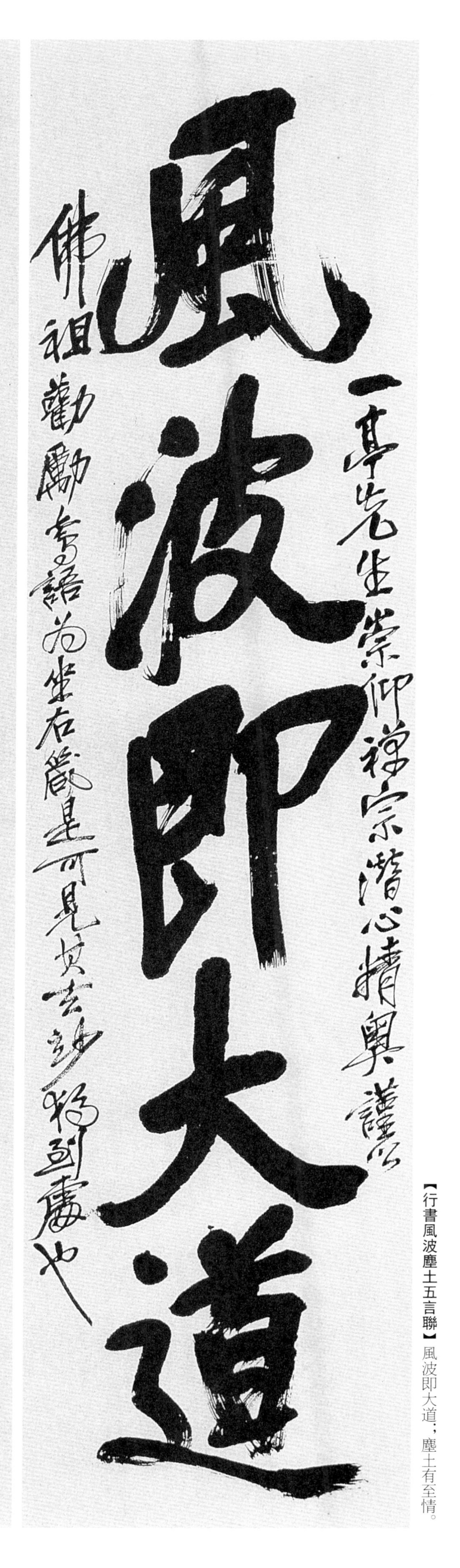

【行書風波塵土五言聯】風波即大道，塵土有至情。

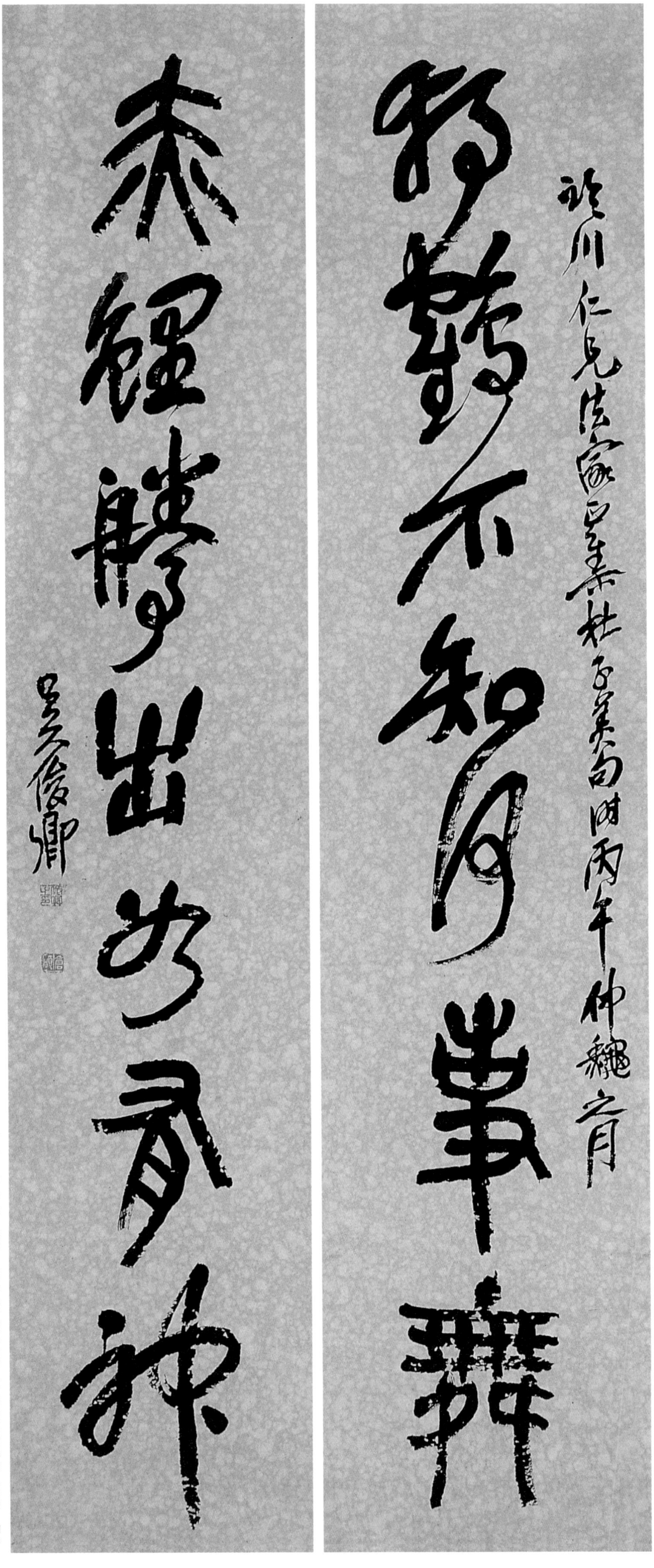

【雜體書獨鶴赤鯉七言聯】 獨鶴不知何事舞，赤鯉騰出如有神。

【行楷陸游詩團扇】蕭寺久不到，／偶來幽興長。／螘穿珠九曲，蜂釀蜜千／房。雨過山橫翠，霜新橘弄／黃。年衰道不進，珍重一鑪／香。（《游蕭寺》）／芒屩年來漸嬾穿，閉門日日只高眠。今朝出送張／夫子，借得南鄰鴨嘴船。（《送張叔潛》）／山近雲生易，人稀鳥下頻。瘦篁穿石竅，／古蔓絡松身。熟摘巖邊果，乾收澗底薪。／經過不相識，唤作避秦人。（《山園書觸目》）／西村一抹煙，柳弱小桃妍。要識春／風處，先生杖屨前。／潯葭仁兄大人屬録放翁詩四首。／丙戌夏吴俊。／

螘：同『蟻』，螞蟻。

芒屩：芒鞋。嬾：同『懶』。

避秦人：避世隱居之人。典出晉陶潛《桃花源記》：『自云先世避秦時亂，率妻子邑人，來此絶境，不復出焉。』

丙戌：光緒十二年（一八八六）。

大至：即諸宗元，字貞壯，一字真長，晚號大至。浙江紹興人。光緒二十九年舉人，官直隸知州、湖北黄州知府等。民國後歷任全國水利局秘書、浙江督軍府秘書、電報局局長等。是著名藏書家、書畫家。詩與李宣龔、夏敬觀齊名。

足楚：脚步的病痛。

邁兒：即吴東邁，又名吴邁，吴昌碩第三子。

个簃：即王个簃，名賢，字啓之，江蘇海門人。二十七歲由諸宗元介紹，至上海任吴昌碩家庭教師，教授吴家子弟，兼爲昌碩入室弟子。新中國成立後任上海畫院副院長、中國美術家協會理事、西泠印社副社長等。

【致諸宗元尺牘】 大至先生鑒：得／惠書並代件，高妙無匹，心感！心感！缶足／楚稍平，而咳嗆又作，幾日夜不／能安枕。邁兒不在家，亦無可告之人，／老年風味有如此，得過且過，如聽鳥／鳴而已。幸个簃日夜爲之哺／

食，尚可將就過去。彊村、一／亭時來，手不能握管，而過我者／亦稀矣。兄何日來滬？念念！近得／小詩，録以伴函，幸／指教，肅謝！順頌／箸安。缶弟頓首。／

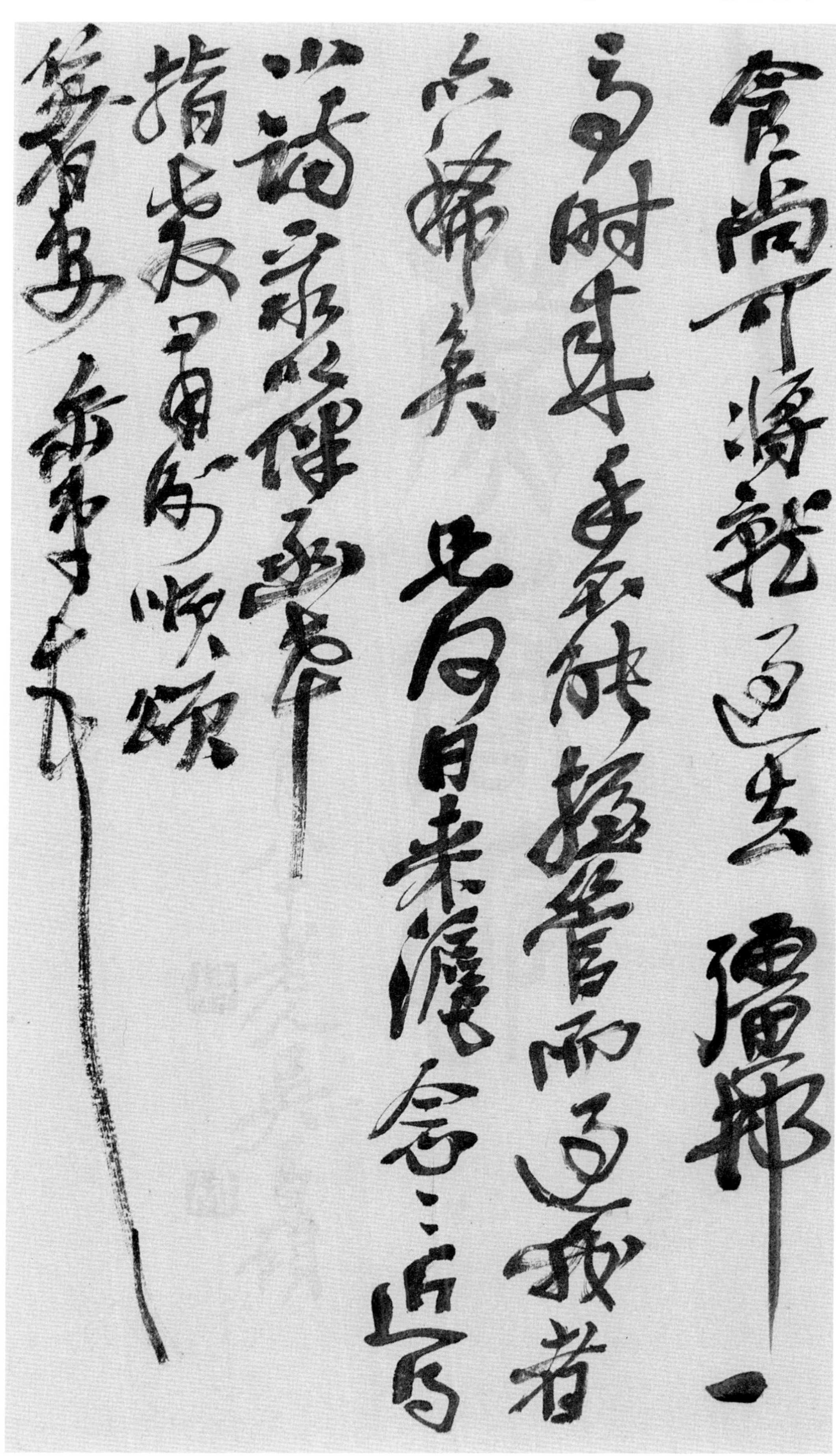

彊村：即朱祖謀，原名朱孝臧，字藿生，一字古微，號彊村。浙江吴興人。光緒九年進士，官至禮部右侍郎。爲晚清四大詞家之一，著作豐富。

一亭：即王一亭，名震，號白龍山人，浙江吴興人。曾從任伯年學畫，並與吴昌碩爲知友。是近代著名的實業家、慈善家和藝術家。

箸：通『著』。

秋笳：西域傳入的管樂器。此用以形容戰亂中的荒凉景象。

筑：古代一種弦樂器，似箏，以竹尺擊之，聲音悲壯。

蝸殼四隅：典出《莊子·則陽》：『有國於蝸之左角者曰觸氏，有國於蝸之右角者曰蠻氏，時相與爭地而戰，伏屍數萬，逐北旬有五日而後反。』後以比喻因細事而引起爭鬥。

離支：指世事紛亂，山河支離。

時周時我蝶翻新：典出《莊子·齊物論》：『昔者莊周夢爲蝴蝶，栩栩然蝴蝶也，自喻適志與，不知周也；俄然覺，則蘧蘧然周也。』此處形容夢境非真，人生虚幻。

訶：同『呵』，指斥責。

兼并南北競秋笳，擊築悲歌有是／耶。蝸殼四隅龍一壁，商量圍個／鐵籬笆。（《聞笳和个簃》）世變離支夢已／陳，時周時我蝗翻新。不雕之木休／狂擲，或者重訶見聖人。（《畫寢》）／大至翁指教。聾。／

海裏潮音亂鼓鐘，龐眉有客話／年豐。碑如漢刻鄉三老，地豈唐封／翦一桐。酒獨醉時人獨壽，盤之／中有子三宮。吾衰賸可居同谷，／兩岸黃蒿四壁風。／（《浦左儺鄉人招飲》）聾。／

龐眉：眉毛黑白雜色。形容老年人之貌。龐，用同「庬」。

碑如漢刻鄉三老：指《漢三老諱字忌日碑》，一九二一年秋，有外國人欲以重金購此碑並運往國外，吴昌碩等人發起募捐活動，以八千元重金將碑贖回。今石存於杭州西泠印社漢三老碑石室内。

唐封翦一桐：典出《呂氏春秋·重言》：「成王與唐叔虞燕居，援梧葉以爲珪，而授唐叔虞曰：『余以此封女。』叔虞喜，以告周公。周公以請曰：『天子其封虞邪？』成王曰：『余一人與虞戲也。』周公對曰：『臣聞之，天子無戲言。天子言則史書之，工誦之，士稱之。』於是遂封叔虞於晉。」

賸：同「剩」。

浦左：指浦江東岸。

董樂閑：即董棨，字漢符，號樂閑，秀水（今浙江嘉興）人。子董耀，字繼華，號枯匏。孫董念棻，原名維城，字味青，號小匏。均善詩畫。

黃王倪吴：指元四家黃公望、王蒙、倪瓚、吴鎮。

黃琮：古代祭祀所用的黃色瑞玉。喻指貴重之物。《周禮·春官·大宗伯》：『以蒼璧禮天，以黃琮禮地。』鄭玄注：『琮，八方，象地。』

董巨、浩仝：指五代北宋時期的著名山水畫家董源、巨然、荊浩、關仝。

《題董樂閑畫册》（樂閑道光初年人，子枯匏，孫味青，／今味青之子詢五索題）：／黃王倪吴元正宗，四家一手象端融。嗟我／生晚未奉手，得見此畫精神通。家學傳世／世罕覯，匏也意古青才豐。青子詢五貌／奇特，手抱真迹逾黃琮。桑田滄海任百／變，不變此筆同彝鐘。我演禿筆作粗畫，／欲宣鬱勃開心胸。射陽古刻久師法，不辨／董巨窮浩仝。先生有知定失笑，鐵已鑄錯／

難陶鎔。石濤、雪个或同調，耳聾足躄頭／飛蓬。遊戲三昧弄詩筆，難在斂氣兼／藏鋒。且置此册勿敢學，焚香展讀來清風。／安得入畫隨杖屨，爲翁一洗青梧桐。／

石濤、雪个：指清初畫家石濤和八大山人。

足躄：跛腳。頭飛蓬：頭髮散亂如蓬草。

爲翁一洗青梧桐：指元代倪瓚洗梧桐樹的故事。相傳倪瓚有潔癖，明王錡《寓圃雜記·雲林遺事》載：『倪雲林潔病，自古所無。晚年避亂光福徐氏。……雲林歸，徐往謁，慕其清秘閣，懇之得入。偶出一唾，雲林命僕繞閣覓其唾處，不得，因自覓，得於桐樹之根，遽命扛水洗其樹不已。徐大慚而出。』

【致諸宗元尺牘】長公賜鑒：前讀／手教並大箸，未能和章，以精神不濟，／遲遲作畣，罪甚！罪甚！前數日忽然平／地一跌，昏睡一日。夜陳三農藥之，／謂宜擱筆勿用心，爲第一要言。現無／它樂，阿芙蓉、小説書而已。詩久不作，／

畣：同『答』。

阿芙蓉：即鴉片。明李時珍《本草綱目·穀二·阿芙蓉》：『阿芙蓉前代罕聞，近方有用者，云是罌粟花之津液也。』

近得二首，另紙録／奉一笑。何時／駕涉滬濱，望眼欲穿矣。或偕笙／老同來，歡喜無量。專此敬復，敬／頌道安，順賀／新禧，不一。缶弟頓首。／

文華堂監製

笙老：疑指商笙伯，名言志，字笙伯，以字行，號安廬，浙江嵊縣（今嵊州）人。清光緒三十二年任江西省湖口知縣，辛亥革命後寓滬，專研國畫。

長尾：長尾甲，日本書畫家，吴昌碩友人。

晞：乾燥。

長公：指蘇軾。蘇軾爲蘇洵長子，當時尊之爲『長公』。宋胡仔《苕溪漁隱叢話後集·東坡五》：『《復齋漫録》云：「當時以東坡爲長公，子由（蘇轍）爲少公。」』

盃：同『杯』。

《長尾壽坡翁書來索賦》：／尾星明歷歷，刮目海之東。髮欲晞／皋羽，眉誰介長公。深盃酬故國，／同壽坐天風。持贈殷勤意，迢迢／夕照中。／《立春日》：／

鼠姑：牡丹的别名。唐陸龜蒙《偶蝦野蔬寄襲美》詩：『行歌每依鴉舅影，挑頻時見鼠姑心。』鼠姑簪：指頭簪牡丹花。

栗里：地名。在今江西省九江市西南。晋陶潛曾居於此。志：地方誌。靖節：即陶潛，字淵明。

輪臺：古地名。在今新疆輪臺南。泛指邊塞。唐岑參《白雪歌送武判官歸京》：『輪臺東門送君去，去時雪滿天山路。』

易無咎且占吾缶：無咎：無災禍；無過失。《易·乾》：『君子終日乾乾，夕惕若厲，無咎。』孔穎達疏：『謂既能如此戒慎，則無罪咎。』占吾缶：用我的缶占卜。

帝曰吁誰用作霖：《尚書·説命上》：『若濟巨川，用汝作舟楫；若歲大旱，用汝作霖雨。』孔傳：『霖，三日雨。霖以救旱。』指下雨。

烏巾平岸鼠姑簪，十二年春酒再／斟。栗里志翻逢靖節，輪臺／詩續拜岑參。易無咎且占吾缶，／帝曰吁誰用作霖。樹養冬青雲古／白，最宜木榻坐層陰。／貞壯老兄正之。缶／頓首。／

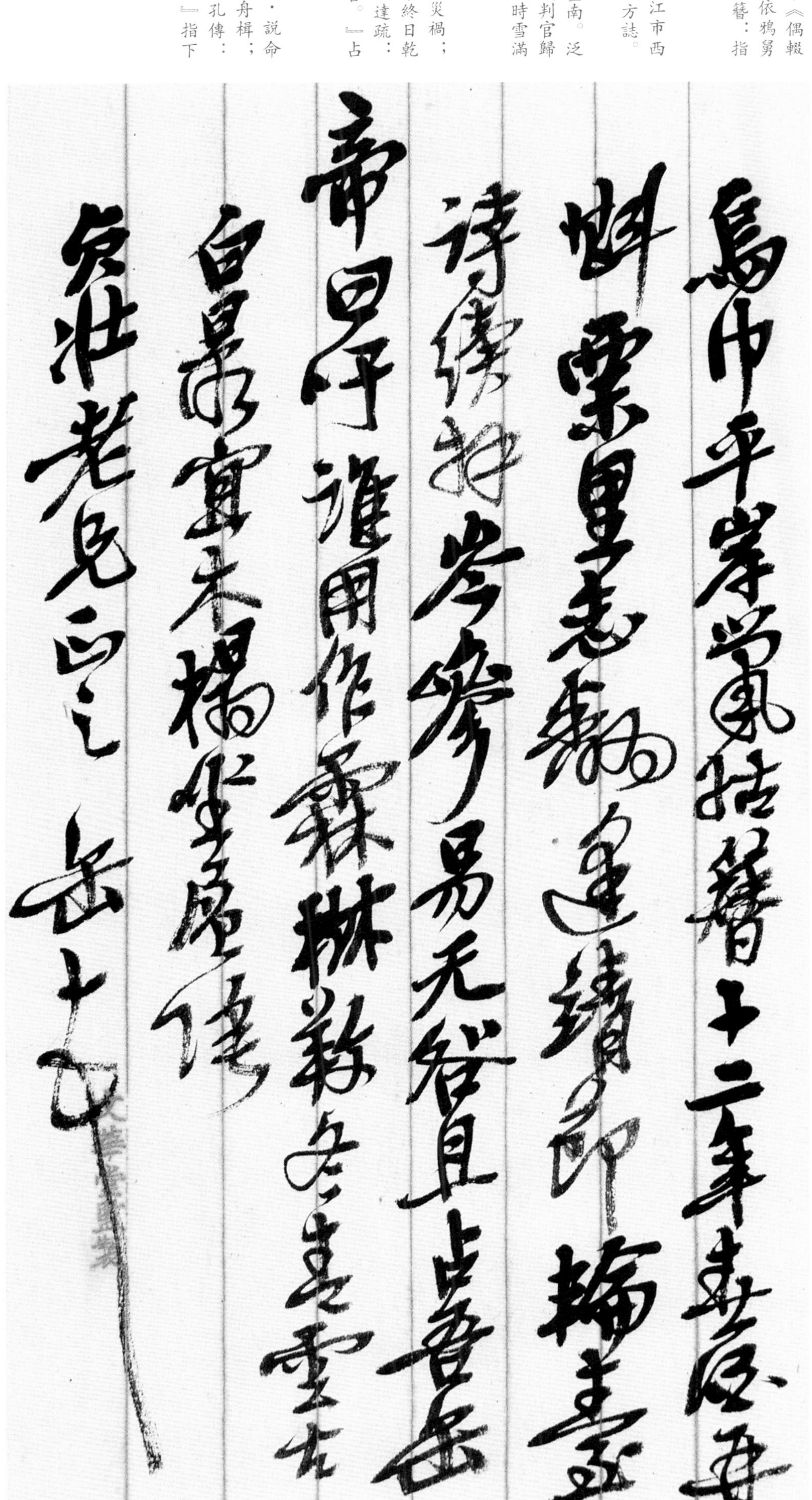

茶娘仙去，予亦代呼，負負當詠，以傳╱其人。然琴娘未老，尚可共娛，緩日約╱公同訪，藉破沉悶，何如？山妻今日病╱頭暈，囑爲謹謝，早晚再約何如？令╱愛肯來閒話，深所望也。此復╱長公。缶弟頓首。╱

歷代集評

吾友羅頌西謂鄧完白書有匠氣，是誠不誣。然匠人有規矩準繩，而非野狐禪可比，是亦不容漫視也。如近年滬上吳某作篆書，學《石鼓》，一皆左低右高，字字傾斜，若得匠人一爲正之，定不如是。

——清　張之屏《書法真詮》

缶廬以篆刻名天下，所作篆籀參以刀法，故精緻古茂，冠絶一時，不虛也。

缶廬篆書得力於鄧完白、吳讓之，以取勢爲能。

——清　鄭孝胥《海藏書法抉微》

缶廬吳先生一生致力《獵碣》最勤，工力深至，筆勢豪肆。自來學篆者無專精、獨擅如先生者也。

——近現代　譚澤闓

缶廬寫《石鼓》，以其畫梅之法爲之。

——清　馬宗霍《霋岳樓筆談》

昌碩以鄧法寫《石鼓文》，變横爲縱，自成一派。

——近現代　向燊

缶廬以《石鼓》得名，其結體以左右上下參差取勢，可謂自出新意，前無古人；要其過人處，爲用筆遒勁，氣息深厚。然效之輒病，亦如學清道人書，彼徒見其手顫，此則見其肩聳耳。

——近現代　符鑄

圖書在版編目（CIP）數據

吴昌碩書法名品 / 上海書畫出版社編. — 上海 : 上海書畫出版社，2014.8

（中國碑帖名品）

ISBN 978-7-5479-0856-3

Ⅰ. ①吴… Ⅱ. ①上… Ⅲ. ①漢字—法帖—中國—近代

Ⅳ. ①J292.27

中國版本圖書館CIP數據核字（2014）第173905號

中國碑帖名品［一〇〇］

吴昌碩書法名品

本社 編

責任編輯 孫稼阜
釋文注釋 俞 豐
審 定 沈培方
責任校對 朱 慧
封面設計 王 峥
整體設計 馮 磊
技術編輯 錢勤毅

出版發行 上海世紀出版集團
上海書畫出版社
地址 上海市闵行区號景路159弄A座4楼 201101
網址 www.shshuhua.com
E-mail shcpph@163.com
印刷 上海界龍藝術印刷有限公司
經銷 各地新華書店
開本 889×1194mm 1/12
印張 6
版次 2014年8月第1版
2022年9月第6次印刷

書號 ISBN 978-7-5479-0856-3
定價 58.00元